SÓ para Elas

Elizabethe Biscarra

SÓ para Elas

MADRAS®

© 2016, Madras Editora Ltda.

Editor:
Wagner Veneziani Costa

Produção e Capa:
Equipe Técnica Madras

Revisão:
Silvia Massimini Felix
Arlete Genari

Dados Internacionais de Catalogação na Publicação (CIP)
(Câmara Brasileira do Livro, SP, Brasil)

Biscarra, Elizabethe
Só para elas / Elizabethe Biscarra. --
São Paulo : Madras, 2016.
ISBN: 978-85-370-1035-8
1. Mensagens 2. Mulheres 3. Reflexões
I. Título.
16-08153   CDD-869.8

Índices para catálogo sistemático:
1. Reflexões : Literatura brasileira 869.8

É proibida a reprodução total ou parcial desta obra, de qualquer forma ou por qualquer meio eletrônico, mecânico, inclusive por meio de processos xerográficos, incluindo ainda o uso da internet, sem a permissão expressa da Madras Editora, na pessoa de seu editor (Lei nº 9.610, de 19/2/1998).

Todos os direitos desta edição reservados pela

MADRAS EDITORA LTDA.
Rua Paulo Gonçalves, 88 — Santana
CEP: 02403-020 — São Paulo/SP
Caixa Postal: 12183 — CEP: 02013-970
Tel.: (11) 2281-5555 — Fax: (11) 2959-3090
www.madras.com.br

Este livro foi escrito justamente para encantar, hipnotizar e desenvolver, ao máximo, o ATO DE SER MULHER.

Índice

Mulher 8
Reflexão 98
Mensagem 119
Entrevista da Escritora Elizabethe Biscarra 153

Mulher

A mulher nasceu
para ser a luz amorosa do Universo.

*Somos mulheres,
somos fortes
e infinitamente fraternas, caridosas e criativas.*

*Vamos em frente!
O Poder é nosso!*

As mulheres
são o sexo do futuro,
que trará
uma nova concepção
para um mundo tão desigual.

(Benjamin K. Genky)

Lunas

A primeira mulher a pisar no planeta Terra
tinha feições notáveis.

Seus olhos
eram como um arco-íris:
circular, de várias cores.
Seu brilho
era tão majestoso e intenso,
igualando-se a um diamante.

Seus cabelos,
naturalmente mechados:
em tons prateados, dourados, negros e avermelhados.

Sua pele,
um "nude" quase bege,
como se todas as raças do mundo tivessem se misturado, a ponto de obter-se uma face homogênea,
extremamente bela, que nem mesmo a mais perfeita
obra-prima poderia descrever.

A primeira mulher
tinha um corpo forte, elegante,
como uma "heroína do esporte".

▶

▼

Quando seus brilhantes olhos
visualizaram a Terra,
encantaram-se com tanta beleza natural,
em uma imensidão silenciosa...!

Nossa primeira mãe
abriu os braços e girou, extasiada!...
e logo após jogou-se ao chão, ajoelhando-se,
em uma oração de agradecimento
pela maravilhosa criação de nosso Pai.

Houve o batismo da primeira oração,
o agradecer, instintivo, de uma mãe,
por receber tão belo útero interno e externo.

Então, Luna – assim chamada por Deus –
caminhou sem destino, reconhecendo o território
que iria habitar e habitar...

Encantada com tanta diversidade
de espécies e alimentos, cores e mais cores,
Luna caminhou o dia inteiro, até a noite chegar,
guiando-se pelas estrelas
e o brilhar de seus olhos
que, como faróis, iluminavam seu andar.

▶

▼

Ao amanhecer,

Luna se surpreendeu!

Olhando ao horizonte, observou...

Vinham em sua direção
seis mulheres iguais a ela!
Como se as sete irmãs tivessem saído do mesmo útero,
da mesma mãe: todas elas gêmeas!

Ao se aproximarem, formaram um círculo,
onde uma surpresa coletiva se fez:
todas ficaram imóveis, somente observando-se...

De repente,
uma Luz branca desceu dos céus,
em direção a elas – **as Lunas**.

A Luz avançou até o centro do círculo
que, inconscientemente, **as sete Lunas** haviam formado,
e veio **uma mulher, toda de branco e dourado**,
imensamente bela – tanto quanto as Lunas.

Era com certeza uma "deusa estelar",
mais conhecida como **Doadora de Faces**.

▶

▼

A Doadora de Faces disse:

Sejam bem-vindas à Terra, nossos úteros amados!

Vocês sete foram escolhidas
para povoar nosso berçário azul,
presenteando nossa mais nova nave estelar
inteligente, conhecida como Terra.

A Terra
é um de nossos tesouros mais importantes,
porque carregará, mantendo seguras e protegidas,
Vidas.

Seus úteros já estão contemplados com sete filhos
cada uma. Todas vocês darão à luz a cada dois anos,
em um total de catorze anos de multiplicação.

Cada gestação terá a duração de nove meses,
e seus filhos nascerão vez mulher, vez homem,
para o bem do multiplicar, através dos tempos.

▶

▼

Todas vocês

foram enviadas à Terra no mesmo tempo,
somente postas em pequena diferença de espaço,
para que a primeira percepção da Terra
fosse única.

Inconscientemente, ao caminhar,
eram atraídas pelas outras, por meio de suas essências.

A mesma essência de amor
de nosso Deus, Pai, Criador.

Vocês darão origem aos seres humanos.

Os seres humanos
não nascerão para viverem isolados uns dos outros.
Pelo contrário,
serão seres extremamente sociáveis e atenciosos,
pois suas almas e espírito
são repletos de amor e do servir.

▶

▼

Todas vocês

viverão juntas,
em uma comunidade de Amor e Fraternidade,
em unidade, em um servir ao próximo.

Criarão seus filhos juntas,
e, para esse fim, estou aqui para
Doar as Novas Faces
que viverão na Terra.

Por mais que no futuro
a população da Terra se multiplique e multiplique,
cada ser humano ainda será único, especial,
e suas faces sempre serão únicas e inconfundíveis, pois
os seres a que vocês darão origem
serão seres inteligentes, intuitivamente criativos.
Uma raça espetacular, inacreditável, incomparável,
extremamente mental e perceptiva.

▶

▼

Agora,

*fortaleço
o amor em seus úteros,
beneficiando suas faces.*

*Mesmo antes de esses filhotinhos pisarem na Terra,
a programação foi ativada:*
que a Terra seja "O Planeta da Vida".

Lunas,
*suas missões são aqui apresentadas:
Povoar o Planeta Azul
de muito amor.*

**O Amor
é
o presentear da Vida.**

▶

▼

Após

*dar sua mensagem,
a Doadora de Faces
meditou com as sete Lunas,
abençoou-as com sua poderosa e milagrosa luz,
e deu Adeus.*

Como uma estrela, subiu novamente aos céus.

*Nossa Doadora de Faces
sempre aparece quando mais precisamos dela,
pois ela é nossa própria essência,
que nos assiste, que nos cura, nos beneficia.*

*É nossa Essência Original, primordial,
feminina,
em toda a sua beleza e pureza.*

▶

A Doadora de Faces

vem em nome da Esperança – que na Terra foi libertada
através da curiosidade de uma bela mulher, **Pandora**.[1]
A face de Pandora aproximou-se da
caixa proibida, a caixa cheia de segredos, a caixa vedada...
e, ao abri-la,
espalhou a Esperança
pelo mundo dos homens e mulheres.
Até hoje,
não compreendo o que Pandora fez de tão errado.
Reflito e reflito,
e não entendo tamanho julgamento negativo
sobre Pandora.
A Esperança é nossa maior virtude.
Pandora contribuiu para motivar a Continuidade
Vital, a tão sonhada Esperança de um dia habitar no
Paraíso.
Sem a Esperança, as igrejas não teriam razão de
existir. Somos bons, comprometidos com nosso meio,
pela Esperança de dias melhores;
enviamos nossos filhos para a escola,
na Esperança de que se tornem grandes seres,
pessoas humanizadas e com um futuro garantido.

▶

---

1. Na mitologia grega, Pandora foi a primeira mulher criada por Zeus.

▼
Tudo

é motivado por meio do que "irá vir a ser".

O mundo gira, as coisas acontecem,
os homens e as mulheres dão continuidade a seus projetos,
tudo por terem Esperança de crescimento e evolução,
para alcançar um "vir e a ser melhor".

A Doadora de Faces veio a nós,
doou-nos nossa Essência incondicionalmente,
o que nos torna, primordialmente,
Mulheres – a "gota mágica"
que foi denominada pelos humanos de Amor.

Amor, amor, amor do amor...
de onde todas as faces são originadas – olhe agora,
já, vá até um espelho e observe seus olhos.
Eles têm um "brilho especial".
Esse brilho
é o eterno contato que todas nós mulheres temos
com nossa Doadora de Faces – a renovadora da Luz,
multiplicadora de Vidas.

Sim,

somos a multiplicação evolutiva e real da espécie.
Somos o "segredo da vida",
o amanhecer do Universo,
a explosão estelar, o pó alquímico
do sempre vir a ser, infinitamente majestoso.

Somos Mulheres!
Mulheres, a Maravilha do Universo!

Somos a Poesia de Deus,
os "lábios ardentes" estelares, seu magnetismo,
somos a beleza eterna da Vida!

É preciso conscientização.
Temos de nos conhecer,
e descobrir todo o fantástico potencial
que existe em nosso interior, em nosso ser, no que
existe de mais secreto dentro de nosso inconsciente. E
revelar ao mundo
a natureza, as grandes descobertas,
pois se Deus deu o útero e o multiplicar,
em nós também existe o Código Secreto,
revelador de todos os enigmas do Universo.

Sim,

em nossas células, em nosso cérebro,
em nosso espírito,
com certeza existe toda a programação da criação,
muito antes de "tudo vir a ser"
e só existindo no infinito de Nosso Criador.

Lá,
em um cantinho de nossa alma,
está o que todos procuram:
os "Segredos do Universo",
a cura para todos os males,
a resposta que tudo responde,
o desdobramento do alcançar de tudo, em uma
amplitude deslumbrante e infinita do eternizar,
do conhecer,
da sabedoria mais poderosa e contagiante do mundo,
do estado líquido, do gasoso, sólido,
plasma de todo o infindável Universo.

Somos

a face feminina e autêntica da Vida!

Não podemos ser completas, pois
as sementes ainda estão crescendo.
Logo à frente, os frutos virão,
mas tudo ainda é muito verde
para se ter a ideia de como será a colheita.

As sementes da vida foram plantadas,
mas ainda virão muitos frutos, pois
é preciso povoar, e muitas mulheres estão por vir.
Aguardem.

Sabemos
que nosso ato feminino de viver
não é composto somente de nossos elementos energéticos. Trazemos conosco um exército de grandes guerreiras,
desde os primórdios da criação.
Somos, na verdade, um exército poderosíssimo.

A *mulher*

é fruto da arte e da beleza divina.
Assim Deus a criou.

Em seguida,
contemplando o belíssimo resultado de sua escultura,
apresentou-a ao mundo que tanto ama.

Somos divinas,
fomos escolhidas para sermos as guardiãs da vida.

Agora é nosso momento.
O momento da transformação,
mas uma transformação de dentro para fora,
uma ação dinâmica do interno para o externo.

Nem todas as mulheres estão conscientes
de que nascemos para as conquistas – mas com
delicadeza, porque somos seres evoluídos,
com sentimentos apurados, refinados.

Com persistência e paciência,
realizamos tudo o que desejarmos.
Nossas conquistas muitas vezes vêm em dose dupla,
porque temos o dom de praticar várias ações ao
mesmo tempo.

Santa

é toda mulher
que
carrega seus filhos

com mãos firmes

e carinhosas,

incansavelmente.

Otho K. Ewald

Somos

*o amanhecer e o entardecer,
que desde o alto se mostra
com o iluminar da Lua,
que também pertence ao nosso gênero.*

*A Lua,
em seu manifestar,
com suas fases e características tão femininas
e envolventes.*

A mulher

*foi feita
para suavizar
os costumes dos homens.*

Voltaire (filósofo)

Mediante

*a luz universal,
somos
o símbolo do fecundar,
a oportunidade do habitar.*

*Na verdade real,
quando um planeta nasce,
já preparado para recepcionar vida,
Deus nos envia
com o propósito do "grão original" vital.*

*E assim as maravilhas são realizadas.
Seguindo essa lógica uterina,*
sempre somos o Princípio,
*o "vir a ser",
a semente sagrada da essência da vida.*

**Somos o Doar, a Terra, o Plantar,
o Nascimento e a Renovação.**

Uma mulher sábia,

*mulher de fidelidade,
incomparável,
politicamente sensata,
atuou
com dedicação e amor
pela independência do Brasil.*

*Muito antes
de seu esposo, dom Pedro I,
dona Leopoldina
foi a primeira mulher poderosa
das Terras Verdejantes, das Terras Brasileiras.*

A Fada guerreira

Era uma vez uma Fada guerreira,
com ar angelical.
Atravessou fronteiras, desbravando barreiras,
com uma bandeira branca em punho
e muita vontade de libertar seu povo.

A Fada guerreira liderava mais de 4 mil homens,
em uma batalha em Orleans.
Expulsou os invasores,
o que nunca antes um exército liderado por
homens havia feito.

A face branca e suave da Fada guerreira
não sentia mais o perfume das flores, pois
o sangue de seus inimigos seu rosto havia coberto.

A Fada acreditava, convictamente,
em sua missão,
que por meio de sonhos havia se revelado.

Depois de tantas lutas, sofrimentos,
por puro amor aos seus irmãos terrenos,
percebeu que era a única Fada a guerrear,
e que seus irmãos ainda eram muito jovens
para compreender que a traição é algo muito feio
e desleal.

A Fada morreu,

nas mãos dos homens
que jamais permitiriam uma mulher como líder,
e ainda precisaria muitos anos de evolução e
amadurecimento para deixá-la usar roupas que a
igualassem a eles.

Joana D'Arc:

Uma de suas condenações de morte
era porque se vestia
com roupas recomendadas apenas aos homens.

Nós mulheres

surgimos no topo da pirâmide do cuidar.

É nosso
o preparo da Terra,
para que depois os homens se desenvolvam.

No alvorecer consciente,
enviadas para brilhar eternamente,
nosso soprar
é o limiar da espécie humana.

O que seria de Sigmund Freud
sem sua adorável Martha, que o servia dedicadamente,
a ponto de deixá-lo totalmente livre e tranquilo
para poder entregar-se, o tempo que desejasse, aos
seus estudos.

A mulher

é
o Persistir,
incansavelmente.

(Amanda Nawfeer)

A
grande pergunta
que
nunca foi respondida:

O que
quer
uma mulher?

(Freud)

A mulher

é o próprio espelho da beleza,
reflexo da energia estelar.

Longe
de ser uma beleza banal, vulgar,
mas uma beleza em profundidade,
em um sentido mais amplo
do que a palavra possa significar.

A mulher

é
o movimento
do gerar,
proteger e educar.

(Maria do Carmo Wideel)

Oração:

Um dos segredos
da longevidade feminina
é ser, em sua essência,
a consciência permanente da Oração.

Sim,
a Oração, a Fé, a Espiritualidade
tornam a mulher mais tranquila,
com serenidade,
e um desenvolvimento perceptivo inigualável,
pois a mulher é a própria Oração.

A mulher,
intuitivamente,
sabe da importância do olhar em direção ao céu,
da força que existe em nós,
se nos unirmos a Deus.
A espiritualidade é um regenerador celular.

A Oração
traz beleza, calma, inteligência, saúde,
e o mais valioso despertar, que é o Poder do Amor.

Um dia

eu comentei que desejava seguir a carreira política, e
a pessoa que estava comigo disse-me:
Deixe de ser ridícula,
vá lavar louças!

Eu desci do carro onde estávamos,
e nunca mais olhei para trás.
Essa pessoa era um homem, meu ex-noivo.

E foi a melhor coisa que fiz:
Hoje sou casada com um homem adorável,
que sempre me apoiou, lutando lado a lado comigo.

Estou no meu segundo mandato de vereadora!

(M. C. B.)

*O
autoconhecimento feminino,
o conectar-se
com
as Faces Doadoras do Universo,
é algo
que existe latente,
no enraizar
de todas as mulheres.*

As mulheres

são os vestígios,
as provas reais
da existência de Deus,
e que o Universo é infinito,
por meio
do eterno gerar cíclico.

(Lefrastro. Perpispe)

Osíris e Ísis,
um matrimônio perfeito entre deuses.

Osíris e Ísis
se preocupavam com os humanos,
com a continuidade terrena,
a ponto de descerem dos céus
para ensinar homens e mulheres
o quanto é lindo o amor,
quando nivelados e respeitados mutuamente.

Mohandas Karamchand Gandhi (1869-1948)

Gandhi
*se opõe
à subordinação da mulher
e à exclusão delas
dos espaços de decisão política.*

Revista Leituras da história
(edição especial).

Gandhi,
*o pai de uma nação, com o movimento da não violência,
manifestou-se majestosamente pela justiça,
igualdade entre todos os seres humanos,
indiferente de etnias, credos, gêneros...
Para Gandhi,
a paz, o amor, a fraternidade,
o respeito ao próximo
estavam acima de tudo.
Tudo que ele desejava
era um mundo sem armas, pacífico,*
e uma política eficaz.

A mulher

*é
a chuva serena
e
o semear seguro.*

(Karoliny Wanthy)

Energias femininas

*Nossas energias
estão na Deusa Mãe,
no mundo natural,
nas folhas, na fotossíntese,
no estelar imaginário
das mentes livres e esclarecidas.*

(Francine B. Budyan)

Somos

leves e sutis,
mas
jamais fracas.

(Mariella Dominguez)

A

*Leoa procria,
a Leoa protege sua prole,
a Leoa caça.*

Assim é a mulher, forte e surpreendente.

*Use
o que você tem de melhor,
explore sua mente, seu espírito,
seu corpo.*

*Depois,
vá à caça,
mas agora preparada
para realizar uma caçada por excelência,
com domínio de todas as suas qualidades.*

(Nory K. Venal)

Quando

a mulher olhar com tamanha observação
para si mesma,
irá descobrir um brilho especial em seus olhos.

Mas,
se olhar e observar além da superfície,
em maior extensão,
perceberá
que seus lábios são intensamente úmidos e macios.

Mas,
se olhar com dedicação e pesquisa,
verá que sua face
é ainda mais aveludada do que parecia,
a ponto de autoiluminar-se,
e que na nudez de seu corpo
existem "pontos mágicos"
tão sublimes e sutis
que pode auto-hipnotizar-se.

Mas se olhar profundamente
em seu próprio ser,
atentando-se aos mínimos detalhes,
encontrará um mundo lindo,
novo,
totalmente inexplorável.

(Francisca Helena Vaydelain)

A partir
dessas descobertas,
suas ações, práticas e eventos
serão de pura magia.

Em seu sentir de fêmea, mulher,
em seu ser feminino,
existe um "caminho secreto",
florido,
com as mais belas pétalas de rosas
caindo suavemente em seu corpo,
sob a forma de chuva.

Tudo,
ao seu movimento,
irá tornar-se brilhante e envolvente,
elevando sua consciência ao eterno andar,
em direção à tão sonhada felicidade,
uma felicidade nunca antes experimentada.

Nesse exato momento terá a mulher codificado, decifrado, as entrelinhas do conhecimento do ser, da Lua, do Sol e da natureza.

(Francisca Helena Vaydelain)

Eu
já fui ingênua, já fui doce,
já experimentei a dureza da frieza humana.

Chorei muito e fui pisoteada.

Reergui-me,
fui à luta, recomecei,
levantei a cabeça,
e pelos caminhos em que me jogaram espinhos
nunca mais passei,
porque me amo
e não preciso ir de encontro daquilo que me faz sofrer.

Eu tenho o poder,
o poder de poder optar.

Hoje não sou ingênua nem doce.
Sou apenas justa.

(Emille Müller)

Afrodite

surge com tamanha beleza...
Símbolo sexual entre os deuses,
ela veio
através do espumar dos mares,
trazendo o gozo,
a sensualidade,
representando, em sua plenitude,
o germinar feminino.

(deusa Afrodite)

O Amor

é pulsante,
quando dois seres se atraem.

É impossível
controlar a libido
interagindo entre os amores,
esses amores que,
em suas unidades,
são a pura beleza natural.

(Bento A. Conte)

Entreguei-me

a breves amores,
tropecei
nas esferas repetitivas de amores sem futuro.

Pertenço
a uma família conservadora – em suas mãos
fui espancada à toa,
sem nem ao menos poder me defender.

Hoje,
permito-me concluir
tudo individualmente;
não gosto de interferências alheias.

No amor,
aprendi algo
que em minha visão é fundamental:
Eu sou importante, eu me valorizo,
e jamais, em hipótese alguma,
permito que me façam de boba;
ou de uma rocha,
por onde os trilhos são construídos
para locomotivas passarem.

(Katarina Fontinelli)

Por mais que as pessoas no passado
me desvalorizaram,
humilhando-me, insultando-me,
sem me darem o mínimo de valor,
eu lutei por minha própria causa,
me auto-orientei,
e sempre acreditei que era importante, capaz.

Atualmente,
tenho conquistado
mais do que imaginava – uma vida plena, segura.

O amor verdadeiro,
ainda não encontrei,
mas, no fundo, sei até por quê:
Era preciso
"eu" estar bem,
ser como hoje sou,
porque só agora estou preparada,
de alma lavada, para abraçar meu grande amor.

(Katarina Fontinelli)

Hera

é
a força vegetativa
e a persistência do desejo.

Hera
assegura a proteção.

Será
por esse motivo
que se fez de Hera um símbolo feminino,
que revela
uma necessidade de proteção?

Dicionário dos símbolos
(Jean Chevalier, Alian Cheerbrant)

Mulher:

Proteção, amparo, auxílio.

*Essa
é a mulher
nascendo com uma missão
já preestabelecida:
A missão de cuidar, apoiar.*

*A mulher é mãe
a vida inteira,
indiferentemente
de ter concebido uma gestação
ou não,
pois sua finalidade real
será sempre
o resultado da ação de proteger,
zelar e amar,
incondicionalmente.*

Nefertiti

*Ela foi
a primeira dama célebre
do mundo antigo;
por 3 mil anos,
um ícone de beleza, poder e mistério.*

*Nefertiti, rainha do Egito,
a primeira mulher Superpoderosa.
Ela
é uma das poucas personagens da história
que teve poder real, como mulher.*

*Mas no auge de seu poder,
Nefertiti, rainha do Egito,
desapareceu sem deixar vestígios.*

"Nefertiti – Mistério da múmia"
(Documentário Discovery)

A mulher
é um enigma a ser descoberto.
Ela
é um ser
ainda em puro mistério,
até para ela mesma.

(Elizabethe Biscarra)

Somos

instrumentos de autodefinição,
equipadas
para qualquer situação.
Criadoras de projetos inigualáveis.

Somos mulheres,
o lado evoluído da criação.

Ser mulher
*é
sempre estar pronta
para
o que der e vier,
sem perder
a emoção.*

(Janely Perkolli)

Na árvore da vida,

a mulher
sustenta
o amor do planeta.

Ser mãe:
Meu coração, minha alma, meu espírito,
entrego a todos os filhos,
porque os amo.
Mesmo sem conhecê-los,
sinto
a frequência de seus chamados por afeto.

Queria poder cuidar, proteger
todas as crianças abandonadas pelo mundo.

Mãe:
Dou tudo o que tenho, para,
nem que fosse por um dia,
ser mãe de cada uma delas.

(Mãe desconhecida)

A mulher

deu à Terra
a primeira obra-prima,
trabalhada desde seu útero.

É
a mais perfeita das obras existentes,
é a obra original,
legítima, suprema, atemporal, eterna,
em sua renovação de mente e corpo.

Não me convence a hipótese de
que Deus criou o homem primeiro.
Jamais vou acreditar.
De outra forma, como o homem teria nascido?
É muito mais plausível que a mulher surgiu
já com a primeira sementinha da vida germinando!

Quem formulou essa hipótese de o homem vindo
primeiro, esqueceu-se somente de um pequeno detalhe:
O homem não possui útero.

Em minhas orações,

peço diariamente a Deus
para que todas as mulheres de nosso planeta
se conscientizem de seus poderes.

A mulher
não nasceu para vulgaridade.
Na verdade, sua maior qualidade
está na doçura e na elegância.

Algumas foram corrompidas
e ainda estão vivendo
em seus momentos de trevas,
ainda adormecidas
para sua autêntica essência.

Mas nada está perdido.
Quando todas estiverem despertas,
a órbita da Lua, a órbita da Terra,
sincronizarão seus movimentos
em plena harmonia
com o movimentar feminino – tudo por seu tempo!

Ainda somos jovens,

*algumas adolescentes,
vivendo em suas fases de rebeldias.
Ao amadurecerem,
um mundo novo, sutil, evoluído, vai soprar,
nascendo entre nós.
Os raios do brilhar desse mundo novo
iluminarão nossas mentes
com grande percepção e clareza,
em um futuro perfeito, sensível,
a ponto de sentirmos uma gota de orvalho
cair sobre as folhas, e essas folhas,
como um efeito dominó de ações da natureza,
cairão suavemente, até chegar ao solo terreno.*

*Ao chegar ao solo,
nós sentiremos, em nosso pisar,
o estralar do caminho da luz.*

As mulheres
são, puramente, sensibilidade.
Seus sentidos e percepções
são altamente eficazes.
É por esse motivo que nós, mulheres,
alcançamos as intenções divinas com muita facilidade.
No meditar, na oração,
é essencial
manter nossas frequências ajustadas
com as forças celestiais.
Elas sempre nos trazem boas recompensas.

Com Fé e as Energias Realizadoras,
tudo pode ser modificado à nossa volta.
Não existe tempo ruim que perdure para sempre.

A Esperança é o elo entre a mulher e Deus.

O que vem agora
não é um presságio.

É, sim,
a alma da evolução do Universo,
que já se encontra presente em nosso dia a dia.

O mundo, desde o princípio,
já passou por diversas transformações.

As transformações são necessárias,
para o "seguir em frente" – avançar sempre,
em favor de um bem maior;
na tecnologia, nas ciências, na matemática,
enfim, em todos os segmentos,
desde os mais complexos até o mais simples.

Aqui,
nosso assunto é a mulher,
é o lado feminino e suave da espécie terrena,
o planeta azul.

Nosso planeta

está envolto de forças magnéticas,
assim como tudo no Universo.

Nossa estrela anã, amarela,
é, na verdade,
um denso campo magnético.

O magnetismo
é simplesmente a Atração,
o domínio de uma coisa sobre a outra.

Essa força
é composta de substâncias essenciais para a Vida.

Nós, mulheres, possuímos esse Poder.

Assim como nossa estrela,
e também como nossa grande **Gaia**,[2] a Terra,
esse domínio
está se fazendo cada vez mais presente em nossa
evolução, justamente porque
os seres humanos de hoje estão nascendo mais
refinados, com características predominantes femininas.

Esse fenômeno está ocorrendo,
é visível – observe ao seu redor.

---

2. Na simbologia, Gaia é a personificação do planeta Terra.

Note as faces,

principalmente dos homens de hoje, e faça uma comparação com os homens de nosso passado.

Nossa espécie está em processo de mudanças, desde o momento em que a primeira mulher pisou na Terra.

Essa lógica de raciocínio não tem a ver com a sexualidade, e sim com as condições e características que os seres humanos estão desenvolvendo através dos tempos.

Podemos observar claramente nos jovens: Atualmente, suas faces, suas peles, muitas vezes são tão sutis e suaves, que nem conseguimos distinguir se são homens ou mulheres. Parecem mais lindos, como Elfos, Fadas – uma beleza extremamente fina, elegante, angelical.

Acredito que, no futuro, nós, seres humanos, seremos ainda mais belos, com estruturas homogêneas, e vou mais além: Nossas raças irão misturar-se tão perfeitamente que seremos seres ainda mais harmoniosos, extremamente sensíveis, e ainda mais inteligentes.

Na visão

*dos habitantes do futuro,
toda a violência que vemos hoje
será perda de tempo,
e ainda
uma grande falha de humanização.*

Como a violência irá diminuir significativamente,
os cárceres serão como
"clínicas de reprogramações psíquicas",
para reeducar com alta tecnologia,
e as poucas pessoas detidas
raramente voltarão a reincidir.

Os laços femininos,
a fraternidade,
estarão muito presentes nas espécies humanas.

Os homens e as mulheres
serão bem mais amorosos,
e os homens, então,
estarão preocupados com muitas situações que hoje
parecem ser exclusivamente preocupações femininas.

Homens e mulheres
estarão bem mais unidos.
Será inexistente
o ato negativo de comparação sexual, pois haverá um companheirismo maior e respeito entre nós.
Ocorrerá uma grande metamorfose.
Quero dizer:
Ela já iniciou!

Lentamente, sem pressão temporal.

Como no Universo o Tempo não existe,
é um interminável presente,
e como somos partículas desse mesmo Universo,
por definição somos eternos – é impossível numerar
um interminável "aqui e agora".

O Tempo, pois,
é apenas um condicionamento humano,
para fins de orientação.

Essa metamorfose é atemporal,

para que as mudanças ocorram
sem mesmo nós percebermos,
porque assim, com pequenos toques, discretos, diários,
de transformações evolutivas,
podemos nos adaptar sem muitas interferências,
em nossa vida diária.

Mas, todos os dias,
esferas magnéticas envolvem nossa forma de ver e
sentir, com efeito agradável, na proporção adequada,
sem interpor-se em nossas escolhas ou opções.

Esse sentir
vai moldando nosso olhar,
deixando cada vez mais claro em nossos sentimentos
que o amor e o respeito às diferenças,
é o único que importa.

A mulher

é a mensageira, a luz,
a palavra linda da história de Deus na Terra.

Deus ama a mulher.
Deus preparou,
semeou o coração da mulher,
para ser sua ligação de vida e paz na Terra.

Ser feminina
é ser a própria inspiração artística
da beleza de ser mulher.

A mulher que ama, ousa, cria,
prepara-se por meio de ações eternas
no sentir e ser da doação incondicional.

Somos fortes, somos mulheres,
somos a mãe terra, somos o futuro,
nascidas como elementos primordiais,
para o equilíbrio
do grande útero gerador de vidas.

Mulher,

olhe ao seu redor,
viva seu ambiente,
observe a energia do Sol, das nuvens, da Terra.

Inspire fundo,
e, com amor no olhar,
esbanje ternura e luz.

Depois,
reconheça
a força maravilhosa e inteligente
que existe em seu ser, mulher.

(Richard Adrolny)

Nossa

*fertilidade geradora
ergueu impérios e as maiores civilizações.*

*As nuvens se formaram,
as árvores se ergueram,
e a semente perfeita e pensativa
foi germinada no útero da primeira mãe,
a rainha soberana de todos os viventes.*

*Nesse momento,
os pássaros cantaram,
o Sol brilhou com mais intensidade,
e a Lua, como o* **Olho de Hórus**,[3]
*mostrou sua face com poder majestoso,
frutificando a feminilidade.*

(Elizabethe Biscarra)

---

3 Na simbologia do antigo Egito, Olho de Hórus é "o olho que tudo vê" – o "Deus dos céus" – aquele que enxerga muito além das aparências.

Meu sonho
era ser uma grande política.

Sempre trabalhei pelos mais necessitados, participei de movimentos em prol da melhoria de meu país. Quando comecei a ir para as ruas, com muita determinação, sendo auxílio de alguns políticos, percebi que nada era como eu imaginava. Havia corrupção, estratégias, jogadas políticas para enganar a população. Que política, na prática, não era bem o que eu acreditava e pensei que fosse – talvez não tive sorte com os exemplos que presenciei.

No fundo, decepcionei-me demasiadamente, e na verdade tive medo.

Algumas pessoas que admirava como seres humanos aconselharam-me a mudar de foco – as pessoas me viam como uma adorável líder.

Na época escolar, era nos grêmios estudantis onde mais frequentemente me encontravam, e por ter iniciativa, liderança e boa oratória, era o primeiro nome a ser lembrado, para movimentar centros culturais e acadêmicos.

▶

▼

Minhas leituras preferidas tinham relação com assuntos e dinâmicas políticas como: grandes líderes, história política. Minha intenção era ingênua, desejava mudar o mundo, ajudar as pessoas, servir.

Fui pensar em outra profissão, porque minhas intenções eram um tanto utópicas, poéticas demais para uma política, ou seja, demasiadamente romântica. Quando completei 23 anos, desisti de meu sonho. Atualmente com 37 anos, observo a política em meu país... Sei que faria a diferença, mas também sei, sou mulher, tenho medo de me ver rotulada como oportunista, porque a maioria das pessoas que conheço nem quer falar de política... Imediatamente associam-na com corrupções e escândalos...

Por um lado, fico muito triste pelas pessoas falarem mal dos políticos, sem sequer pesquisar sobre sua vida pública; do outro lado, sei que existe muita depravação e fraudes, que não gostaria de presenciar. Minha intuição feminina me alerta: cuidado, é melhor procurar a felicidade em outro lugar...

T. A. de Souza

Onde
procurar iluminação e força?

Mulher,
sua beneficiadora é a Lua!
Procure no lunar e diga o que precisa.

No Sol,
estão suas energias!
Deixe o Sol, com seu calor,
percorrer seu corpo e penetrar em seu sangue.

Mulher,
sei que são necessárias várias máscaras,
com intensidades de cores.
Suas máscaras e faces
estão na diversidade da natureza.

Mas nunca esqueça:
Jamais deixe de rezar, pois
seu maior provedor é seu único Criador Original,
Deus!

Para sempre estar servida, agradeça:
Em nome do Pai,
em nome da mãe, do filho, da filha,
e do Espírito Santo.

Amém!

É assim
como Deus fez com Ester:

preparou seu coração, sua mente, para o amor, para a caridade, a rainha de beleza nunca antes vista, a rainha judia que salvou seu povo, mostrou que a Fé e a coragem de uma mulher são puro poder.

*Assim como Ester,
deixe que a luz da sabedoria encontre você.
Jamais podemos nos distanciar de nosso lado mulher,
para viver a modernidade.*

*Não é preciso abandonar os velhos costumes,
que sempre representaram nosso gênero,
nosso lado feminino:
o saber cuidar da casa, ser mestre nos ingredientes,
que encantam com seu aroma.*

*Realize tarefas comuns e gostosas,
que, culturalmente,
servem de símbolo de nossa imagem bela, doce,
dentro do mais bonito ato de servir.*

*É da nossa natureza, reservada para todas nós:
o estar sempre prontas para servir, agradar nosso
próximo, e tudo isso nada mais é que Amor.*

Quando
cuidamos de alguém, servimos a alguém,
estamos, automaticamente,
trabalhando na mente e no coração de Deus.
A simples ação de "piscar com carinho" para nosso
próximo já é uma ação gostosa de amor e gentileza.
Cumprimente mais, agradeça mais, sirva mais, sorria
mais; toda essa "magia do bem querer"
com certeza fará muito mais bem a você mesma.
Experimente viver no bem-estar,
desfrute da beleza incomparável de ser mulher.
Mulher
significa o "dançar" do flutuar terreno,
leve, liberto e solto.
Mulher
é andar pelas ruas, transbordando luz e amor,
distribuindo sorrisos, cumprimentos,
para seus companheiros de planeta, mesmo não os
conhecendo!

Mulher

é o prestar socorro, auxílio, defendendo os mais fracos,
apoiando as causas nobres, o cuidar de nossos animais.

Mulher são as mãos
que preparam um bolo gostoso e chamam os amigos
para um café.

Mulher é simplesmente
ir até os quartos da casa
e verificar se todos estão bem cobertos e em segurança.

Mulher
é sacrificar-se por uma causa,
desde que alguns ou alguém tenham seus direitos
protegidos.

Mulher é ir em frente,
mesmo sem saber a direção certa.

Mulher
é doação, é amor desde sempre,
quando, diante daqueles sorrisos angelicais dos bebês,
diz aquela frase: que coisinha mais linda da mamãe!
Mulher
é o exclamar da frase: oh! Que bo-ni-ti-nho!

Mulher
é, algumas vezes, não resistir às compras
e estourar o cartão com bolsas, batons, sapatos,
e depois verificar a fatura, expressando: meu Deus do céu!
Mulher
é observar, atentamente, cada detalhe de outras mulheres:
seus acessórios, roupas, etc.
e logo depois sair em disparada para comprar igual.
Mulher
é chorar, gritar, lutar, espernear,
por tudo o que os homens acham uma tremenda bobagem.
Mulher
é simplesmente sentir-se uma deusa, poderosa,
quando sai do cabeleireiro.
Mulher é fazer
uma "renovada daquelas" no guarda-roupas!
Eu amo ser mulher!
Eu quero, eu desejo, para toda a eternidade, ser mulher.
Ser mulher é simplesmente maravilhoso!

Se você

tem latente aquela essência dentro de seu ser,
vá agora ao espelho, faça "biquinho" e diga:
Eu sou demais, eu sou poderosa, eu sou mulher.
Obrigada, Senhor, eu nasci mulher,
a própria rainha da Gaia!

Na história da humanidade,
até agora sempre fomos postas de lado.
Tudo que foi criado é apenas para enaltecer o homem.
A mulher, na maioria das vezes,
foi puramente figurativa, sempre sem grandes feitos.
No decorrer da história,
a maioria das mulheres vivendo em submissão,
a obedecer a autoridade masculina.

E as religiões esqueceram
que as mulheres são maioria nos cultos à fé, a Deus.
Se não fosse a mulher,
não haveria o acreditar no ato da ressureição,
lembrando que foi Maria Madalena
quem encontrou Jesus ressuscitado,
e assim, convicta, fez com que os demais acreditassem.

Se

*não fossem as mulheres nas igrejas,
como seriam as igrejas hoje?
As mulheres, de longe, são a maioria dos fiéis.
As mulheres trabalham,
auxiliam a fé em todos os sentidos, e isso é bom, muito bom,
para manter, além de tudo,
a sincronia benéfica do Universo.*

*Nossas amadas mulheres,
santificadas por seus atos de pura luz,
energizam positivamente o ambiente ao seu redor,
assim como Madre Tereza de Calcutá, Nossa Senhora de Fátima,
Maria mãe de Jesus, Madre Paulina, Santa Helena...*

*Não fosse Santa Helena,
por sua persistência com seu filho, o imperador Constantino,
a Igreja Católica jamais seria o que é na atualidade.*

Milhares de outras mulheres

com determinação, luta, lágrimas, persistência,
ofereceram suas vidas por um ideal,
por amor ao seu próximo:
em guerras como enfermeiras, curadoras,
obstinadas pelo ato de serem úteis,
superando as maiores dificuldades, levando o bem maior,
a caridade e o conforto, aos seus irmãos de planeta,
Universo.

Agora digo e repito:
sim, nós mulheres precisamos de respeito, não importa a idade.
Neste momento, agora e sempre, precisamos de
respeito, pelos atos no decorrer de nossas vidas,
que mostraram o servir, a unidade
e a verdadeira face da ternura e da fraternidade.

Sim, é preciso
consideração com todas as mulheres do Universo,
porque acredito, convictamente, existiram,
existem, e sempre existirão
almas de renovação, almas femininas,
a porção renovadora humana e material,
também imaterial, da essência do bem construir,
no sentimento fino, elegante, do fluir angelical e doce,
como uma bela xícara de café quentinho,
acompanhado de roscas doces e carameladas.

As *autoridades*,
tanto políticas como culturais e religiosas,
devem assistir mais às mulheres,
dando-lhes ouvidos e voz,
e ainda o mais importante:
o devido Valor.

Quando uma menina nasce,
é mais uma porção de bem e amor
que a Terra recebe.

Estamos vencendo,
ao som do bem querer.

O sagrado feminino
deve ter o mesmo significado de consagração,
como o sagrado masculino,
e mais todos os demais gêneros consagrados,
na proporção de energia da divina mãe natureza.

Na empresa

em que trabalhava, tornei-me chefe do meu setor.
Eu me doei, suei, dei tudo e o melhor de mim
para merecer a promoção,
porque precisava trabalhar e ter resultados.

Tenho dois filhos e meu ex-marido não paga pensão.

Ao ser promovida, os homens de meu setor
se recusaram a receber ordens de uma mulher.
Pedi demissão,
não aguentei a pressão e a agressividade.

Mas Deus realmente me ama.
Depois de sofrer muito, rezava ainda com mais força e fé.

Direcionei-me para outro caminho.
Hoje eu e uma amiga temos uma pequena empresa,
que vai muito bem, sinto-me feliz e realizada.

Realmente às vezes não compreendemos,
mas Deus escreve certo por linhas tortas.

(E. M. C.)

A mulher

tem seu lado feminino
tão intuitivo,
protetor,
sensível e aguçado
que sempre é mãe.

Mesmo sem
nunca ter concebido uma filha
ou um filho,
seja por opção ou destino,
mesmo assim
será mãe igual!

A mulher
é mãe de seus irmãos.

A mulher
é mãe de seus sobrinhos,
de seu marido,
de seus amigos,
e de todo o tipo de seres
que vierem ao seu encontro
precisando de um útero,
de um ninho
ou
de um simples carinho ou atenção.

O
lado feminino da Terra
sempre foi usado
para espantar o mal.

Em várias culturas,
se há por perto
um animal fêmea,
com útero,
protege seus moradores
do mau-olhado
e de eventos naturais.

(Gatas são ótimas protetoras)

Devemos

*Respeitar,
com maior reconhecimento,
a mulher que envelhece,
pois ela se aproxima
da própria sabedoria universal,
além de carregar consigo
experiências importantíssimas,
que podem servir de exemplo
e aprendizagem para nossas vidas.*

*A mulher madura
é
a informação viva
da força
e da espiritualidade.*

A Camponesa e o Anjo

Hilda, a camponesa, estava no campo, trabalhando em seu pomar, quando, de repente, os pássaros voaram bem mais alto.
O vento soprou forte, e as folhas verdes formaram um imenso círculo.

A roupa que a camponesa vestia foi-se com o vento, quando, então, ela sentiu um beijo quente, suave, em sua mama.

Olhou assustada e ao mesmo tempo surpresa...!

Um homem que no ar se mantinha, carregava nos braços um bebê lindo, gigante, que naquele instante se deliciava com aquela mama terrena.

A camponesa Hilda ficou ali paralisada... como nutridora daquele anjo carregado por um deus.

Depois daquele cenário celestial, o deus e seu anjo subiram novamente aos céus, agradecidos pelo benefício de amor de mãe da mulher camponesa, que por toda a sua vida jamais perdeu a fé em nosso mundo, e muito menos parou de olhar para os céus, pois no fundo sentia-se mãe daquele doce ser, de pele linda e cabelos cacheados.

Cresci

acreditando que meu pai, meus irmãos,
eram mais importantes que eu,
por serem homens.

Hoje, compreendo o quanto fui enganada.
Penso em um sentido mais amplo de sociedade.

Quantas são as farsas
que existem no mundo...
e que pensamos ser algo verdadeiro e real.

Sou mulher, sou sentir,
sou tão forte e tão inteligente quanto os homens.

Essa é minha condição verdadeira!

(M. E. de Queiroz.)

Coco Chanel

*foi a primeira mulher
a se impor no mundo dos homens,
fundando um império
que ainda hoje leva seu nome.*

*Ela jamais se casou,
trabalhou até sua morte,
em uma noite de janeiro de 1971.
Era domingo,
um dia que ela não gostava.*

(filme COCO – Antes de Chanel)
Um filme de Anne Fontaine

*Coco Chanel,
maior ícone da moda mundial.*

*Coco Chanel
definiu o estilo da mulher moderna.*

Nós, mulheres,
precisamos direcionar
com determinação, convicção e oração.
O poder da mulher
está no imaginativo,
no mundo das princesas e das fadas.
Acredite, pode ser seu mundo.
O mundo rosa, amoroso, infinitamente criativo,
dos sonhos além do sentir... é real!
Comece, agora,
a criar todos os dias situações novas,
brilhantes e envolventes.
Dedique-se ao seu bem-estar.
Envolva-se com você mesma, faça o que puder
para tornar seu dia mais feliz,
como um jardim encantado, utópico...
Mas pode ser real,
porque nossa felicidade
depende unicamente de nosso pensar,
de nossas conexões cerebrais.

O cérebro existe.

Assim, seu pensamento existe,
e a prova maior
é você estar "aqui e agora" lendo estas páginas,
conectando-se com o mundo,
coexistindo em meio a tudo que Deus nos oferece.

Ele ama você,
neste exato momento está pensando em você.
É por esse motivo que está agora aqui
participando dessa grande história, a história da Terra.

Comece agora a se conhecer melhor.
Vá fundo em seu íntimo.
Mostre-se, estude-se.

Observe
como seu corpo reage
a determinadas situações,
não se afaste dessa linda história!
Pelo contrário,
procure mais e mais estar próxima de você mesma.

Aí,
tudo vai funcionar perfeitamente.

Nós, mulheres,

somos as fadas encantadas do mundo,
do planeta azul.

A alegria, a paz, a harmonia, a verdade e a virtude
são a composição energética de nossa essência.

Somos a beleza do querer,
do saber,
da curiosidade.

Somos luzes:
azul, branca, amarela, rosa, lilás,
e tudo que venha para inspirar
amor, família, carinho, fraternidade, unidade.

Nossa missão
é exalar o doce perfume do fluir da natureza.

Somos fadas fortes,
determinadas a alcançar o inimaginável,
trazendo a todos o acreditar,
o concretizar dos sonhos já perdidos
e que ainda podem ser realizados por meio da
Esperança.

Somos as fadas madrinhas,
buscadoras de luzinhas do bem, da justiça.
As fadas madrinhas do servir,
do ser útil, de alguma forma, à humanidade,
porque a mulher reconhece
o dever de ser doadora, beneficiadora de vidas.

Que não viemos somente com intenção de usufruir do mundo,
mas que nosso dever é também a contribuição.
O contribuir
com nosso meio, com nosso próximo, com o Universo,
pois somos eternamente agradecidas
ao nosso Pai original,
à nossa mãe e ao nosso espírito que nos guiou até
aqui.

A mente feminina

*sabe e reconhece
que o maior objetivo da vida é o amor.*

*O espelho da vida é nosso próprio refletir.
Quanto mais convictas
de nosso estado de consciência
que somos e estamos em Deus, no amor,
maiores serão os benefícios em nossas vidas.*

*Observe seu modo de vida hoje,
e logo após faça uma reflexão de como você é
e como gostaria de ser.
Logo depois, reeduque-se;
faça isso sempre sucessivamente,
até que chegará o dia em que dirá a si mesma:
sou única e amo tudo o que tenho e faço,
sou minha maior realização.*

Sempre dará certo, é infalível, é real.

A educação
é o que nos torna humanos, transforma nossas vidas.

A educação
é o hábito mais saudável e primordial
aos seres humanos.
Engana-se
aquele que não a adota para toda a vida,
pois a educação é eterna,
e deve sempre fazer parte de nossas vidas.

A mulher reconhece
o poder transformador fabuloso, maravilhoso,
da educação.

A mulher é a facilitadora,
a que melhora os ambientes terrenos.
Mas não pode ajudar os demais,
sem que primeiro se ajude a si mesma.

Assim é a mulher:
Quer tanto servir, ajudar,
que na maioria das vezes esquece de ajudar a si
mesma.

Cuide-se, ame-se, e depois, sim,
vá, como a grande guerreira que é:
protetora e inovadora.

Reflexão

Agora reflita:

O que
Pandora fez
de mal?

Por que,
*quando nos apaixonamos,
ficamos cegas,
sem clareza de pensamento?*

Por que
*alguns homens
mexem tanto conosco,
e outros nem chegam a fazer
"cosquinhas"?*

Por que
alguns homens são tão surpreendentes e sensíveis?

Por que
*existem
homens tão "primatas",
"machistas"
e sem noção?*

Por que

*hoje
amamos poderosamente
e amanhã
podemos odiar,
com a fúria de um titã?*

Qual
*o maior segredo
no interior
de uma mulher?*

Por que

*na maioria das vezes
damos mais valor
ao beijo,
ao toque,
do que ao sexo em si?*

Por que

*algumas mulheres
adotam
seus maridos
como filhos?*

Quem decidiu

que
deveria existir
o homem
e a mulher?

Por que
*a intuição feminina
é tão eficiente?
Qual é o segredo?*

*Será
que não aproveitamos
nossos sentimentos
como deveríamos?*

Qual será

*nossa real
e mais importante missão?*

*Será
que ela
ainda não foi revelada?*

Será

*que nesse exato momento
da humanidade,
estamos apenas desenvolvendo
os pilares,
o campo magnético e energético,
para a verdadeira missão
que as mulheres do futuro irão realizar?*

E se pensar mais,

*será
que somos uma "unidade"
que ainda precisa
de aperfeiçoamento,
que, conscientemente,
estamos no caminhar
que levará o planeta
a concretizar seu feito,
sua ação de destino,
que nosso Criador programou?*

*Somos, então,
como um belo bolo
que está em fase de fermentação
e logo, logo,
estará pronto,
deliciosamente servido
para o saborear do Universo?*

Mulheres,

*fiquem alertas,
prontas e preparadas,
para jamais permitir
que essa delícia
"perca o ponto".*

Cleópatra,

uma poderosa mulher,
estava além,
muito além de seu tempo.
Mas os homens romanos da época
jamais iriam permitir
uma mulher poderosa.

Por esse motivo
criavam tantas histórias negativas
a respeito da inteligente mulher
que dominava o Egito.

Mulher,
não tenha medo.

Seu poder
está nas estrelas,
no raiar do Sol, no espumar do mar.

Mulher,
o centro da Terra
quer sentir seu pensar pulsar,
pois precisa de sua energia,
para realizar os feitos terrenos.

Mulher,
abra os olhos
com tamanha grandeza e delicadeza,
e diga o quanto percebe e vê
além da matéria e do brutal humano,
porque você, mulher,
é o desvendar dos segredos da Terra e dos céus.

Você, mulher,

*é o guiar de Júpiter,
e o "evoluir" das dimensões existentes.*

*Sua mente,
seu coração e suas mãos
são a face reveladora dos espíritos divinos,
que percorrem o andar dos anjos
ao infinito.*

Você, mulher,
é a guardiã da Vida
que Deus tanto estima no Universo.
Vá!
Vá fundo dentro de você mesma!
Pergunte
ao seu próprio espírito!

Esbalde-se em seu corpo,
conheça-se,
conecte-se com seu íntimo,
procure explorar o máximo,
todo esse mundo inexplorável que existe em seu ser.

Não leve nada para o pessoal.
Reflita,
a pessoa mais importante de sua vida
é você mesma.
Sem você,
tudo se torna inexistente,
pois a luz se apaga.

Tenha certeza

de que a única companheira eternamente fiel,
em sua existência,
é você mesma.

Cuide-se, ame-se, valorize-se.

Apresente-se ao seu redor,
poderosíssima!

Confie,
"meta a cara", vá à luta!

Você é demais!
Marque uma hora especial
com aquele brilho que existe bem no fundo de seu olhar,
aquele brilho que tudo ilumina.

Traga-o ao seu encontro,
e transforme-o
nessa estrela maravilhosa
que quer se libertar.

Mensagem

Mulher, nunca perca a relação com seus antepassados. Eles são sua força, seu brilho, vontade e persistência. Quando mentalizamos um antepassado, estamos entrando em sintonia com uma energia ancestral fabulosa e poderosa, que reside em um interligar de células, corrente de luz infinitamente positiva, que se formou há milhares de anos.

Somos um pensar, um formar energético de gases e luzes. Esse cantar alquímico formou tudo que existe no Universo: as estrelas, os planetas e inclusive você. Por essa razão lógica, jamais podemos nos desligar de nossas fontes originais, que estão nos primórdios estelares.

Mulher, seu lado autêntico e feminino está intimamente fluido no sentir positivo de tudo que existe. Quando acreditar que está só, sem forças, sem luz, mentalize um antepassado seu, conectando-se, assim, a uma valorosa força de energia compensadora, concretizadora de processos realizadores de sonhos, estruturando o equilíbrio de sua força e vontade.

No Universo, tudo acontece devido a um interligar infinito de energias compensadoras. Por esse motivo lógico, seus antepassados jamais deixaram de existir. Eles seguem sempre, de maneiras que podem interferir por meio de conexões, para o benefício daquele que o sincroniza.

É simples assim, é fácil assim. Tudo no cosmos é transformador – seus antepassados, seus ancestrais também.

Suas conexões, conectadas ao seu sentir e ao seu pensar, constroem uma fortaleza de muita sabedoria em sua vida. Nosso núcleo interno é valiosamente produtivo; nossa alma, nosso cérebro, nosso espírito ainda estão no limiar de suas possibilidades.

Nossos antepassados, como avós, pais, tias, tios, são variáveis molecular-cósmicas, que compõem nossas energias, assim como todos os nossos ancestrais.

Assim sendo, podemos usufruir de suas capacidades existentes para reforçar, reformulando nossas vidas em direção a um "salto quântico".

Tudo ligado, infinitamente...

Todo o Universo é uma frequência energética interligada a tudo. Nem mesmo um grão de areia, que fez, faz ou fará parte dessas maravilhas dimensionais, passará despercebido pelas forças cósmicas, e jamais deixará de pertencer ao núcleo que tudo transforma, cria e recria. É de grande importância que você, mulher, se conscientize dessa energia latente, dentro de seu ser.

Liberte-se, vá, conquiste, crie as possibilidades, misturando-se com seus irmãos planetários, encontre seu centro, encontre-se com seu centro molecular.

Deixe sua mente levar você. Feche os olhos e deixe fluir o momento com aqueles que vieram antes de você, preparar seu caminho. Eles são os construtores de seu berço vital. E por mais que seus temperamentos ou maneira de proceder parecessem diferente de seu pensar, de seu sentir, mesmo assim eles são seus antepassados, eles possuem poderes, eles são as forças universais.

Tudo procede, e tanto o negativo e o positivo são de suma importância para o recriar das estruturas universais. O julgamento, o preconceito, o rancor só nos levaram a ficar de fora das novidades galácticas, e além, muito longe dos aprimoramentos terrenos.

Se assim quiser, mulher, não se misture.

Não compartilhar é uma escolha sua, mas não esqueça: será sempre uma grande perda para a Terra, pois mesmo que não perceba, sua frequência energética é modeladora de estruturas materiais presentes e futuras. Em suas veias, corre a responsabilidade da preservação humana divina.

Esteja entre eles. Seus antepassados e você, mulher, são o preservar dos céus e da Terra.

Quando captar aquele brilho do olhar daquele antepassado mulher e então se conectar, saberá que o poder daquele brilho é transformador e nele você poderá concretizar o inimaginável.

Tudo está no estar de tudo. Somos estruturas estelares, nossas conexões são poderosíssimas. Alguns minutos no brilhar de nossa estrela, o Sol, é o suficiente para aquecer vidas em todo o planeta Terra, por muito tempo.

É disto que estou falando: esses segundos de enigmático brilho do olhar de seus antepassados serão suficientes para gerar o que você tanto deseja. Esse é nosso segredo, sagrada mulher. Você pode.

Minha vida

estava um caos, tudo havia desabado.

Desorientada,
comprei flores
e fui visitar meu pai no cemitério.

Quando cheguei,
algo diferente aconteceu em meu ser,
não consigo explicar:
Aquele olhar firme dele, em sua foto,
parecia querer me dizer algo.

Foi tão mágico...
Era como se ele estivesse muito vivo,
interagindo comigo.

Depois daquele momento,
eu me transformei.
Nunca mais fui a mesma:
como se minhas energias tivessem sido trocadas,
meus componentes genéticos mudados.
Sou hoje uma mulher forte, determinada e realizada.

Tudo depois de captar aquele instante do brilho,
do sentir do papai.

J. Medeiros
(um fato real)

Não sabia

que rumo profissional tomar,
estava vazia, bem perdida.

Fui com minha prima almoçar
na casa de minha outra prima materna.

O almoço foi ótimo, quando fiquei na sala,
só por alguns minutos.
Parecia que uma foto chamava minha atenção:
era a foto de minha tia Laura.
Quando a olhei, foi acolhedor.
Seu olhar transmitia segurança e doçura,
o rosa de sua camisa... e por alguns instantes eu a percebi
mais viva do que nunca, e muito próxima dela!
E, mentalmente, me veio a palavra "médica".

Médica? Mas eu não pensei nessa profissão...

No outro dia me inscrevi para a Faculdade Federal de
Medicina.
E, gente, eu passei!
Hoje sou intimamente ligada à minha tia, não sei como,
mas a sinto sempre e sou uma renomada pediatra.
Não é incrível? Sou feliz, muito feliz, realizada,
e tudo aconteceu a partir daquele olhar.
Tia Laura, te amo!

Dra. V. Miranda

Em uma

flor desabrochei,
em um olhar me conectei.

Nesse momento,
senti os raios do Sol
brilharem em meus cabelos.

Foi nesse lapso
que compreendi
o quanto eu faço parte
do imaginar curioso e criativo
que é ser mulher,
ser humana, ser contempladora.

Não existe

nada mais inspirador,
do que a fragrância do sentir da oração.

Existem propriedades refinadamente elaboradas
em um pedir com fé.

As palavras, o verbo,
são a autêntica essência feminina.

Quando verbalizamos,
agradecendo por ser e estar
nesse programa intenso e construtor
que é o sistema original de Deus Pai,
**nossas vidas se tornam um milagre,
desde que se crê com alma e coração.**

Nós, mulheres,
temos o aprimoramento da oração,
porque, desde o princípio,
nada mais poderíamos fazer a não ser orar, rezar,
meditar.

Seguindo essa lógica,
para conter as maldades e os avanços cruéis na
humanidade,
temos em nosso DNA, em nossas veias,
o poder elegante e amoroso da oração.

Olhe
*ao seu redor com suavidade,
com aquele brilho amoroso
nos olhos,
irradiando boas novas
ao máximo possível de pessoas
que possa alcançar.*

A mulher
é ágil,
determinada.

Quando
o centro de seu núcleo
está aliado com a força divina,
ninguém vence essa guerreira,
comandante de vários exércitos,
verdadeira líder do bem.

A mulher
é o próprio espírito que gera a fé.

Eu mudei,
mudei por amor,
porque sabia que a pessoa que eu era
não se enquadrava
na vida de meu grande amor.
Hoje
dou valor a muitas coisas
que antes nem percebia o quanto estava errada,
desvalorizando o simples, o belo, o justo.
Não me importo
de ter me transformado em um novo ser,
na maneira de ver e agir,
porque agora sou uma mulher séria, com ética,
e sobretudo valorizada, respeitada.
Acredito
que por amor tudo vale,
desde que não prejudique seu meio
e principalmente ao seu próximo.
Sou extremamente feliz,
orgulhosa de meus atos.
Hoje não consigo me ver como eu era antes.
O amor me reconstruiu
e com certeza salvou minha vida!

Engana-se
quem pensa que o futuro será cruel e desumano.

O futuro será um berço caridoso,
com pessoas conscientes do ato real de ser humano.

Nós, mulheres,
seremos ainda mais fortes, unidas,
e os homens compreenderão absolutamente nossa causa
e jamais nos julgarão.

A igreja
não precisará exaltar os santos para nos ajudar,
pois todos nós estaremos santificadas, em um fluir
harmonioso.
Todas, sem exceção, também serão santas.

A fome se extinguirá.
O respeito ao próximo, o compartilhar,
serão uma honra para todos.

Todos terão oportunidades de educação
e sempre estaremos aqui,
indiferente da forma,
porque nosso Pai é eterno e somos assim como ele.

Nossas vidas irão desfrutar de um evoluir inimaginável.
Os seres humanos avançarão sem precedentes,
tanto na medicina, na tecnologia, no saber,
como nunca antes visto.

A fonte

da vida plena e construtiva
será desvendada.
E por mais que pareça um sonho
o que eu escrevo, assim será,
porque assim se acreditará.

Não tem nada de ilógico,
a história da santa humanidade
está aí para ser observada.

Entre seus erros e acertos,
o bem prevalecerá.

A tão sonhada "poção da juventude"
estará ao nosso dispor,
porque somos inteligentes, assim como o Pai.

O ser humano
muitas vezes nem percebe,
mas em suas mentes, espíritos e almas,
está sendo formado um mundo inacreditável.

É real!

No caldeirão uterino das mulheres,
os componentes químicos irão se misturar
e perpetuar o ato nobre do nascer,
em um grito de vitória da vida.

Tudo
para seguir sua jornada em frente
e a linhagem humana ser refinada.

Agora,
a joia mais preciosa foi apresentada:
um diamante autêntico,
oriundo dos confins estelares,
com a missão de aqui chegar,
para se multiplicar
nas mãos daquelas que o mundo irá definitivamente
moldar, no molde perfeito
do Grande Mestre alquímico que tudo criou.

Divagações do Poeta

O tempo

percorre árvores,
olhares,
as mesas improvisadas nos quintais,
nas sacadas...

E em meio
a vestidos e laços,
as suaves vozes delas
comentando sobre as flores, sobre os filhos,
os amores...

Ah!
como gosto de acordar com a sinfonia delas,
despertas a bom tempo...
o barulho da vassoura... ao ambiente iluminar.

Não sei,
nem imagino um dia sem elas estar:
aquelas faces suaves... os sorrisos espontâneos...
testemunham o viver, as flores amadurecer.

Que carinho gostoso...!
E às vezes,
o silencioso embalar de nossos passos,
em um conforto arrebatador.

▶

▼

Quando

chego à tarde,
já na varanda sinto o aroma do café
e bolinhos caseiros.

Que vida doce elas me deram...

Elas,
as mulheres
que me cercaram desde a infância.
Com elas, fui afortunado.

São sentimentos diferentes
que fizeram a história de minha vida;
foi a bondade daquelas mulheres,
desde o útero até aqui,
que passaram por mim.

Sempre tratei de compensá-las...
a todas as garotas que tratava,
suas mães e tias eu também admirava.

▶

▼

Junto a elas,
cantei canções de primavera.
Caminhei com elas,
sem no tempo me fixar;
ri, dancei...
Que figuras...!
Com suas asas de anjos,
tornaram minha vida um encanto.
Joguei, pulei janelas, escondi-me,
e brindei com taças de vinho
momentos únicos, inesquecíveis!
Por elas, sempre elas,
minha vida fez uma longa viagem.
Uma viagem ao paraíso,
no servir dos cafés, chás e bolinhos...
Não existe
nada que me torne mais feliz,
do que ver o sorriso espontâneo
de uma mulher...!
Logo após,
as "bochechas" ficam rosadas,
e o brilho no olhar
nos faz ter razão para viver!

▶

▼

Sua voz
me hipnotiza!
Sinto meu corpo vibrar,
se nela pensar.
Estar próximo dela
faz minhas células relaxarem,
a ponto de quase me entregar aos seus braços,
sem pensar...
Ela não sabe quanto a amo.
Tenho medo de falar,
libertar meus sentimentos,
mas aí penso:
e se ela não compreender, não me quiser...

▶

▼

Prefiro esperar,
e assim tê-la por perto,
sentindo sua fragrância,
observando sua majestosa boca,
deixando-a se expressar,
e às vezes, sem perceber,
tocar-me
e sobre minhas mãos apoiar a sua.

Mas quando ela segue falando
e retira a mão,
oh! Que pena!
Como a amo, minha linda mulher.

Mesmo que não a tenha, a imagem de mulher em minha mente sempre será a sua! Sei que mesmo após minha morte, me lembrarei de seu olhar, de seu sorriso, de seu aroma hipnotizador!

Do homem que eu fui
ao imaginar as noites sem fim,
amando-a apaixonadamente...!

▶

Somos

*faces geradas
pela face do fruto primeiro.*

*Nossas feições, nosso olhar,
nosso aquecer, em todo o planeta,
mostra-se libertador, realizador.*

*No meditar,
recordamos nossa história, nossa luz,
na origem virgem do nascer lunar,
aliado com o pó da vida.*

*Secretamente,
mostramo-nos solidárias,
através dos véus que voavam ao vento,
e poderosamente serviam de bandeira
para uma nova caminhada que,
ao pisar, segue sobre pedras quentes,
sem jamais reclamar da condição imposta.
Obstáculos dificultosos
nos inspiraram ainda mais
a amar a Deus, aos pais e aos filhos.*

Na firmeza

do andar, loucas por paz,
flutuamos
no imaginar das constelações longínquas,
com a certeza em mente
que um dia viriam a nós
a harmonia e a divina providência,
com a consciência de
que, mesmo que não fossemos mais nós
a desfrutar de tão maravilhoso milagre,
tudo era necessário
para o futuro assegurado das gerações
que ao longe se apontavam.

O "aqui" é sempre belo,
se estivermos praticando o bem,
em direção a um amanhã contemplativo,
porque no fundo sabemos,
nós mulheres,
que somos as mães do Universo.

O que fazemos hoje
deve servir também de obra para o amanhã;
de outra maneira, nada valeria a pena.

Escuto vozes,
bocas a mexerem, olhar a brilhar.

Tudo se mistura
no caldeirão das ervas e do saber natural.

Que sabedoria essa noite:
em sonho,
uma serpente saiu de minha boca,
e ao cair no chão,
deixou-me um cordão prateado
que agora uso como colar.

Minhas mãos pareciam iluminar-se,
quando, ao alvorecer,
indicaram que ali cantava uma coruja.

Nos lábios de um senhor eu descansei,
provando do fruto maduro,
a maçã que na Terra jamais saboreei com tanto
gosto.

Ao descer as escadas de uma casa grande, bela,
em um tapete vermelho me joguei
e sobre as cortinas das janelas me enrolei,
fazendo círculos imensos,
ao sentir suave dos tecidos
que deslizavam sobre minha face.

Ao sentir do sofá,
de cor "nude aveludado",
também vi um homem jogar-se comigo no mesmo.

Seus olhos, cor de um deus,
cabelos negros e pele quase dourada.

Aí, minha alma parou,
meu espírito aquietou-se e meu corpo, úmido...
O olhar fixo e enigmático daquele homem
derreteu meus componentes energéticos vitais...

Entreguei-me, soltei-me... fechando os olhos
e ficando extremamente relaxada...!
Logo depois acordei, fui para o trabalho com a
sensação de que havia realmente acontecido – tudo
exatamente.

Tudo não parecia ser sonho:
o elevador da empresa estava em manutenção,
escadas a única solução, décimo andar.
Quando cheguei no sétimo,
parei para dar uma "respiradinha".
E de repente, minhas pernas ficaram "bambas",
meu coração acelerou; descia o inacreditável:
o mesmo homem que na noite anterior me amou.

Ele olhou fixamente para mim, e de seus lábios saíram:
bom dia, está tudo bem? Eu a conheço? De onde? ...

Não preciso contar.
O resto é previsível e realmente do outro mundo.

Eu a amei,

desde o primeiro dia em que a vi.

Eu a conheci, porque meu melhor amigo a apresentou.

Ela era linda.

Naquela leve tarde de verão, estávamos todos sentados em uma lanchonete, pedimos sucos e sanduíches. Marina, então, abriu sua bolsa e tirou um espelho e batom e retocou sua maquiagem.

Foi amor à primeira vista, e em nossos encontros ela sempre linda, cheirosa, alegre, vaidosa. Quando entrava no carro, seu aroma de mulher extremamente doce e feminina.

Ela realmente era tudo que eu imaginava em uma mulher, uma princesa em todos os sentidos, sempre impecável, extremamente perfeccionista.

Eu a admirava e tinha orgulho dela, e nem preciso dizer: sem sombras de dúvidas, eu não demorei para pedi-la em casamento.

Marina, meu amor, sempre foi minha inspiração. Lutei, trabalhei para comprar nosso apartamento, para que começássemos com o pé direito, sem pagar aluguel.

▶

▼

Casamos, eu me esforçava mais ainda, conquistando promoções e promoções na empresa onde trabalhava, para poder dar-lhe tudo o que ela desejava: cabeleireiro, roupas, uma casa linda...
Sonhava com filhos. O sonho se tornaria ainda maior, com uma filha linda e vaidosa como ela.

Então, com o passar do tempo, me decepcionei: Marina, depois que casamos, começou a engordar. Não praticava mais exercícios físicos, deixou a academia.

Não se importava mais com a vaidade, e tudo que dizia era: "deixa pra lá".

Agora, só pensava em comer e dormir; dormia até as 11 horas da manhã. Não era mais aquela mulher que conheci e por quem me apaixonei.

Até que um dia fomos a um jantar na casa de um amigo meu, e Marina, conversando com a esposa de meu amigo, disse: querida, a gente se cuida até o casamento, depois os interesses são outros, sei lá...

Eu me senti o homem mais enganado do mundo, porque eu casei com uma mulher e depois virou outra.

Não era justo, sei que, no caso de Marina, ela não mudou por nenhum motivo real.

▶

▼

Poderia ser depressão, angústia, ou mesmo decepção por outros motivos. Não, eu fiz tudo, fiz minha parte para dar-lhe uma vida feliz e confortável.

Sempre extremamente carinhoso, cheguei a dizer a ela que não era mais a mesma, o que houve, e ela respondeu: depois de casada, amor, as coisas mudam...

Não, para mim não funciona assim. Eu sempre imaginei que ela estaria linda, cheirosa, cuidando de sua saúde, do lindo jeito de ser mulher, e mais: que envelheceríamos juntos, e ela seria uma senhora elegante, ainda mais charmosa.

Pedi divórcio, pois aquela não era a mulher por quem me havia apaixonado perdidamente – sinto-me lesado até hoje.

(J. P. P.)

Algumas

mulheres na Terra já desvendaram o segredo,
o Segredo da Vida,
do pleno sucesso do ser mulher com toda a força,
e o Poder que a palavra comporta..

Elas descobriram que tudo está ligado na criança.
Sim, na criança que existe dentro de nós.
Sim! Digo novamente sim, e sim!

Nosso bem-estar
está plenamente interligado com as fantasias,
curiosidades, no sorrir puro da vida.
Devemos olhar-nos sempre
como uma determinada porção
de revitalização da plena juventude.

Se perdermos essa vitalidade, esse olhar,
perdemos aquele famoso "estalar químico" – somos como
uma Santíssima Trindade, compostos de três momentos
plenos:
infância, juventude, adulto.
Mas é preciso que sempre harmonizemos os três em nosso
ser,
em um equilíbrio perfeito.
É que os três nos tornam suaves:
infantis, jovens e adultos, e essencialmente felizes.

Germinamos,

nascemos e crescemos...
Logo nos tornamos adolescentes,
e depois mulheres,
somos forçadas a agir somente com uma unidade:
ser adultas. A ordem é deixar as "criancices" de lado,
que é nosso maior bem;
abandonamos nossa flexibilidade
e nos tornamos extremamente rígidas.
Nossa alma, nosso espírito e nosso corpo
têm de lidar, de uma hora para outra,
com todo o peso desse desequilíbrio,
com apenas uma medida, uma ordem, sem escolha.

Aí surgem os problemas, tanto do corpo como da alma,
que pedem por socorro e as válvulas de escape precisam
ser ligadas.
A cada dia que passa, sentimo-nos mais amarguradas,
ranzinzas,
e aí percebemos rugas onde não existem,
desvalorizando-nos,
porque já não possuímos mais o frescor da juventude –
temos de nos conformar, a idade chega e não há mais
nada o que fazer.

Mas aí eu digo: há, e há sim!
Você foi enganada por uma falsa cultura,
cheia de dogmas e limites.

▶

▼

E digo, afirmativamente:

existem dentro de seu ser
poções e poções maravilhosas da juventude,
é só você querer libertá-las.
Só depende de você!
Sim, sim e sim!

Você pode ser o que desejar!
Se desejar ser sempre uma princesa, assim será.
O Poder é seu. Está em suas mãos.

Faça agora sua criança aparecer
e viva momentos inesquecíveis com ela;
reviva com ela, energizando todo o seu ser
de pura beleza e positivismo.

Uma jovem mulher perguntou ao Senhor, em oração:
Por que, meu Senhor,
tenho dores lombares, tenho tristeza,
peço e repeço ajuda, e nada muda?

▶

Inexplicavelmente,

ela escutou, nitidamente, o Senhor responder:
Eu já lhe curei faz muito tempo,
mas você insiste em pensar que está velha e doente,
quando eu lhe doei muita juventude, saúde;
mas, filha, você não utiliza!

A mulher ficou perplexa, e depois pôs-se a chorar.
Chorou e chorou, percebendo que unicamente era ela
a razão de seus transtornos.

Acolha-se, procure-se, ame-se,
e viva o mundo encantado e surpreendente que Deus
lhe deu!
Ele é todo seu!

Quando me libertei,
deixando livre, por alguns instantes,
a criança que vive em meu ser,
comecei a perceber
que as soluções para meus problemas
começaram a surgir.

Então,
uma vez ou outra,
deixo-a vir e ser a luz dos meus olhos,
seja em meditações ou em ações,
como desejar o momento.

Agora sinto
que minha vida mudou da água para o vinho.

É simplesmente surpreendente:
são momentos únicos que me tornam, como vou
explicar,
não tenho palavras.

É lindo, como é lindo!

(W.C.G.)

Mulher,

*você é
a semente eterna,
germinadora de vidas e de amor infinito,
multiplicadora
da fonte da juventude,
pois sem você,
nenhuma criança habitaria a Terra.*

Uma mulher

*torna-se poderosa,
quando reconhece
e acredita que possui
um papel definitivamente importante
para as vidas
em nosso planeta Terra, a Gaia azul.*

A combinação
*de forças femininas
gera
o nascer da justiça
e do querer permanecer
no constante universo do bem-estar.*

Entrevista da Escritora Elizabethe Biscarra

O que a mulher empreendedora líder deve fazer para não perder seu lado feminino?

Elizabethe: Amor, amor incondicional, amor de coração, amor de mente, amor de corpo, amor de ventre. Esse é o segredo, porque esse é o símbolo da Mulher: o amor incondicional, o amor de mãe.

A mulher simboliza a Árvore da Vida, a que gera. Essa é sua essência, essa é sua origem. A mulher não pode perder essa origem, porque é o que dá delicadeza, a sutileza, o servir. É por isso, e por esse motivo, é claro, que os povos celtas têm a mulher como mensageira.

Mensageira do quê? Entre o céu e a terra, entre o interno e externo. Não perca, mulher, jamais perca essa essência, que é o amor.

Quais são os meios para uma mulher obter domínio emocional e profissional?
Elizabethe: Perfeito, essa é uma grande pergunta! O que fazer para ter esse equilíbrio? Andar no centro, colocar uma balança, onde você coloca a razão e a emoção em uma harmonia perfeita, equilibrada. Nada de usar extremidades, as extremidades dividem, separam. E o que é a mulher? Ela é união, unidade, não divisão.

Há outro conselho maravilhoso para você, mulher, para nós todas mulheres. O que é? Não levar nada para o lado pessoal, ser impecável na palavra.

O que significa isso? Se alguém tentar colocar em você o que você realmente não vê, não aceite! Devolva o presente e sorria, mas siga sempre amando seu próximo como a si mesmo, querendo-se e tendo a convicção de que você é especial, e que você nasceu para brilhar.

O que você, mulher, está projetando para a sustentabilidade do meio ambiente?
Elizabethe: A mulher é a própria identidade da natureza. A mulher é a natureza, é a terra. A terra é feminina, a mulher é feminina, a terra é o grande útero, é o grande recipiente que gera vidas, e a mulher gera a vida.

Deus a escolheu. Por que será? Para ser a guardiã do que é mais sagrado, que é o ato de viver. A mulher, sendo o espelho da própria natureza e do próprio ambiente, ela já tem, já com ela, antes de nascer, a sabedoria da natureza.

E agora, ela vai ser novamente a porta-voz. É necessário, imediatamente, que haja uma transformação, e uma renovação em todo o nosso grande organismo vivo, pois o futuro precisa muito de uma consciência; que a natureza está toda interligada conosco – essa harmonia precisa vir.

Mas o que aconteceu? Muito tempo atrás, gerações atrás, a mulher se misturava, a mulher tinha dom da cura, como tem ainda hoje.

A mulher ajudava nas guerras, causadas pelos próprios homens, e a mulher estava lá, curando os doentes, prestando o ato do alívio e do conforto.

Mas o que lá aconteceu com a mulher? O que aconteceu?

Simples e puramente ela foi taxada como bruxa, ela foi queimada na fogueira, ela foi massacrada e julgada por dogmas.

Precisamos nos libertar desses dogmas. Precisamos seguir em frente, por isso você, mulher, não tenha mais medo, não tenha mais medo dessa opressão.

Vamos gritar que é necessário um recriar, um recriar com a energia divina da terra, com a mente da terra, um ambiente especial, harmonioso, mais puro para todos nós, e eu tenho certeza de que a mulher vai ser a grande líder dessa batalha maravilhosa. Quero estar lá.

Existe mesmo a alma gêmea?
Elizabethe: *Não! E absoluto não!*
Não existe "a" alma gêmea. Existem, sim, "as" almas gêmeas.

Você acredita mesmo que só existe "uma" pessoa que combine com você nesse mundo? Que só "uma" pessoa é digna de você? Ou você digno a ela? Você acredita nisso mesmo?

É como acreditar que nesse Universo imenso, com milhares de galáxias, só existimos nós de vida, de seres vivos. É muita pretensão.

Liberte-se! Liberte para infinitas possibilidades, na felicidade. Não limite sua felicidade.

Nós, com certeza, trabalhamos linearmente, uma coisa de cada vez, mas no Universo tudo funciona ao mesmo tempo. Então deixe, deixe que venha para você a pessoa ideal, a pessoa que vai lhe fazer feliz. Não fique presa a uma pessoa, aquela que você quer, ou ela não o quer, ou vice-versa.

Trabalhe a verdade, trabalhe a felicidade, faça de você um ser feliz. Um ser feliz, muito feliz, no amor.

Então trabalhe, e atraia, já, agora, neste instante, "duas" almas gêmeas. Você vai ver o quanto é especial escolher e ter ao seu lado a pessoa com quem sempre sonhou.

Vampirismo psíquico, existe?
Elizabethe: *Claro, absoluto! É mais do que real, existe!*

É o poder do verbo! É o poder do pensamento. É o poder mental, é a intenção e a vontade.

Se uma pessoa tem a intenção de prejudicar você, e você não está imune, hahaha! Prepare-se, e comece a proteger-se, porque o "olho gordo" nada mais é que um vampiro psíquico. Ele observa nossas energias, ele está sempre ali, olhando, aqui e lá, e às vezes, até nós, inconscientemente, não percebemos que estamos vampirizando alguém, ou vice-versa.

E o que fazer para isso?

Perfeito: meditação, oração, conexão, sincronia, sintonia com a mente criativa da Terra, porque quanto mais próximo da luz você está, quanto mais próximo da natureza você está, mais imune você fica às trevas, às energias negativas, e mais positivo você fica.

Então, o que acontece? Aquele belo dizer: a luz permanece nas trevas, mas as trevas não permanecem na luz.

Consiga sua imunidade acreditando em você, acreditando em "seu" interior, acreditando que você pode, sim, se defender de qualquer energia negativa. Aí ninguém, jamais, irá ousar entrar em sua morada sem antes bater.

A mulher tem objetivos, tem sonhos? Quais são?

Elizabethe: É óbvio que a mulher tem sonhos, tem objetivos. Os sonhos são indicadores de caminhos. Objetivo é a batalha para alcançar o sonho, que é a vitória da grande guerra.

Se não temos sonhos, como o Universo vai saber o que queremos? Ele não vai saber nos dar, ou vai nos dar qualquer coisa, até mesmo aquilo que não queremos, porque ele não sabe o que você quer.

Você tem de escrever! Você tem de desejar!

Você tem de gritar, subir em uma montanha, olhar para o Sol, e dizer eu quero "isso". E assim, o Universo vai dar a você.

Mas a mulher é objetiva, é detalhista. A mulher pode fazer várias coisas ao mesmo tempo. A mulher é, sim, uma grande sonhadora!

Isso é bom, porque quem não sonha, não realiza. Quem não sonha, não trabalha suas ideias. Quem não sonha, não trabalha a imaginação.

E como funciona? Imagine, coloque vontade e concretize! Através do quê? Do querer, e a mulher tem muito querer. EU TENHO CERTEZA ABSOLUTA!

Por que, quando se fala em mulher, já se fala em intuição?

Elizabethe: Intuição! Clareza de pensamento que gera premonição, que gera prevenção, prevenção do futuro.

A mulher tem esse lado do "sexto sentido" bem mais aguçado. Por quê?

Porque ela é mãe, ela quer proteger sua cria, ela quer proteger, ela quer cuidar, ela quer estar ali pronta para servir, e aí a parte emocional trabalha melhor, a psique trabalha melhor, a mente trabalha melhor.

E o que é realmente a intuição? Como ela vem?

Ela vem quando nós estamos com a mente "em branco". Quando os nossos sentidos estão repousando, e quem está trabalhando é o sentido do Universo, da Mente Divina.

E o que é divino é perfeito, não precisa ser mudado. Ele é infinito. Então, se você trabalhar bem sua intuição a seu favor, essa "ferramenta" maravilhosa que foi colocada para você, mulher, você, com certeza, irá viver na verdade. Essa ferramenta não erra. Trabalhe sua intuição a seu favor, a favor de seu próximo, a favor de seu redor, e assim você vai chegar mais fácil, com o melhor acesso, dentro da verdade.

Por que as doenças psicossomáticas atingem mais às mulheres?
Elizabethe: *É porque somos mais sensíveis.*

Assim sendo, somos atingidas por essas energias que antes sentíamos psicologicamente na alma, e depois no corpo físico.

Mas eu quero levantar uma questão superinteressante: a mulher, por gerações e gerações, foi oprimida, foi acusada de grande pecadora, aquela que ofereceu a maçã a Adão.

Mas o que ela fez de errado oferecendo a maçã para Adão? Quando a serpente disse a ela, que ela comendo maçã, iria ser como Deus?

Quem não quer ser como seu ídolo? Quem não quer estar próximo de seu mestre? O que, aí, ela fez de errado?

Ela também queria conhecer a sabedoria, e a sabedoria iria levá-la para mais perto de Deus. Nisso não existe nenhum pecado.

Quando se fala que a mulher saiu da costela de Adão, não significa que devemos obedecer, que nós devemos ser humilhadas ou coisa parecida, oprimidas pelo homem. Não... não...

Quando se fala da costela de Adão, simboliza sua alma, seu interior, que a mulher era seu espírito, a mulher era sua alma gêmea.

Então, vamos mudar essa concepção? Vamos trabalhar uma renovação? Vamos recriar a história?

Vamos trabalhar a mulher e o homem como sendo uma unidade perfeita, unidos para salvar o grande organismo vivo que é a Terra, nosso "habitat", nossa morada.

Tudo no Universo está interligado, e essa opressão, esse julgamento injusto, traz ainda hoje danos para nós mulheres.

Por que a autoestima é tão importante para a mulher?

Elizabethe: A autoestima é uma necessidade da mulher. A mulher é a própria natureza, que é muito bela: as borboletas, o Sol, tudo é perfeito, harmonioso, fantástico...

Por que Deus nos criou assim? É pra gente ver sua obra-prima!

E o que aconteceu? A mulher quer evoluir, quer se sentir bela; essa é uma necessidade dela. Ela precisa se sentir valorizada. A mulher é o próprio espelho da natureza.

Então, quando a mulher se produz, não é que ela esteja procurando alguém, ou porque ela quer a parte sexual ou algo parecido. Ela se produz porque ela quer se sentir bem, como um todo, ao seu redor: harmoniosa, como a própria natureza.

A mulher é como uma flor bela: linda. É assim que ela quer se sentir, porque ela faz parte dessa natureza. A autoestima faz parte de sua vida.

Ter a consciência de que somos especiais e de que fazemos parte da natureza, e que devemos, sim, estar sempre bem. É uma responsabilidade com todo organismo vivo, porque tudo, absolutamente tudo, está interligado no Universo, e quando você não está bem, você está interferindo em seu próximo.

É nossa responsabilidade trabalhar, valorizar nossa autoestima, convictas de que somos a própria essência da natureza.

Por que a mulher perde fácil as energias? Como fazer para se manter vitalizada?

Elizabethe: A mulher é o agente base, é o alimento, é a que serve. Ela sempre tem de estar doando, doando e ajudando. É como a terra que tem de ser plantada, semeada, e depois você colhe.

Então, ela está aí doando-se... doando-se... e o que acontece? Ela vai se enfraquecendo, ela fica bem fraquinha, energeticamente desiquilibrada. Precisamos repor essas energias. A mulher é a Lua, simboliza a transformação lunar.

A Lua trabalha o quê? Na noite? E a noite é o quê?

É o adormecer, o descanso.

Para que a mulher fique sempre vitalizada, ela precisa, com certeza absoluta, de uma boa meditação, de um bom repouso.

Depois que ela estiver novamente em sincronia com a mente criativa da Terra e com todos os seres invisíveis e poderosos, o que ela tem de fazer? Novamente vai funcionar a renovação. Vai se doar, se doar...

Mas para sempre se manter bem vitalizada, ela precisa sempre trabalhar a oração, a meditação, e nunca perder a conexão.

A conexão está muito além de uma boa comunicação. A conexão também é trabalhar os sentidos com aquilo que lhe faz bem. Mas com certeza, evoluir a cada dia para estar além dos sentidos.

Pare um pouquinho, acolha a você mesma, medite, conecte-se. E com certeza, conectar-se vai ser a fonte divina de seu alimento, e esse alimento vai deixar você forte, revitalizada e mais jovem.

Por que a mulher está buscando tanto espaço na sociedade?

Elizabethe: É por justiça. Por uma causa nobre: "justiça".

A mulher sempre foi punida, oprimida, julgada, condenada. A mulher sempre foi colocada de maneira para sempre servir, se doar, se doar e servir.

Então, agora precisamos remodelar, precisamos avançar em direção a uma sociedade mais justa e equivalente. Chegou o momento de recriar, como lhe disse.

Um homem de quem eu lhe falei – você já sabe quem é, dois mil anos atrás, trouxe essa lembrança, trabalhou e levantou essa bandeira. Falando de igualdade, elas, as mulheres, são especiais. Elas são amorosas, elas trazem o amor na alma, elas querem amar a todos ao seu redor.

Esse homem de que falamos traz a doçura em seus lábios – ele é JESUS CRISTO.

E o amor em êxtase é a Caridade. E a mulher é essa caridade, essa ética; a mulher quer acolher a todos, igualmente.

Então, agora vamos trabalhar essa maneira de ver as coisas. Vamos nos mostrar, vamos chegar, vamos dar ao homem um apoio bonito, equilibrado, entre a razão que são os homens e a emoção que somos nós.

Assim, tenho certeza absoluta de que tudo será salvo. Vamos trabalhar, vamos ficar interligados, misturados, para avançar em direção à evolução da humanidade.

Chegou esse tão esperado momento.

No amor, qual o caminho da felicidade para a mulher? Como ela deve agir e observar os caminhos?

Elizabethe: A mulher nasceu para o amor. O amor faz parte dela.

Mas, primeiro, ela tem de se livrar dos dogmas, dos paradigmas e "do disse que me disse".

E observar, porque ela tem uma boa intuição, ela tem uma boa percepção, ela faz parte de toda a natureza. Então, ela mesma deve saber o que é melhor para si. Ela mesma deve estar misturada na felicidade, no amor.

A idade é indiferente para a mulher. A idade, para a mulher, não existe.

Nós podemos ser felizes a qualquer momento. O tempo não existe. Então, por que ficar dizendo que estou muito velha, muito nova? Não!

Liberte-se!

Trabalhe seu ser, trabalhe o amor com consciência, com segurança, e tenha a convicção de que você nasceu para fazer outra pessoa feliz.

E que você também pode, e deve, ser muito feliz no amor. Mas desde que você se liberte dos dogmas, da escravidão; liberte-se daquelas coisinhas que você "acha" que são verdadeiras.

Pense o que você está sentindo no momento. Está gostoso? Está bem? Então... **vá em frente!**

A mulher pode ser feliz, sem procriação?

Elizabethe: É claro, é absoluto, é certo, é real que sim. Mulher, antes de nascer, já é mãe. Ela é mãe de tudo ao seu redor.

Ela é mãe de seu jardim, de seus animais, das pessoas que estão próximas de si, e ter consciência – e expandir sua consciência – de que mãe não é apenas a que gera um(a) filho(a).

Mãe é a que gera amor – essa é Mãe de verdade.

Então, com certeza, a mulher pode e consegue ser muito feliz sem ter um filho de seu próprio ser, porque ela já é o Ser de Mãe. Ela já é um grande útero, ela já é a grande geradora de amor. E gerar amor é próprio da mulher.

A felicidade está aí: no sentir e no pensar, no que vem de dentro para fora, no interior. A felicidade não está no externo, e sim no interno.

Ela nasce conosco.

O que é esse tal de "poder extrassensorial"?
Elizabethe: As mulheres "têm" esse Poder.

Esse poder é fantástico, é maravilhoso e infinito. Está além, além dos limites, ilimitado, sensorial, além dos sentidos, percepção além da intuição.

É aquilo que tem discernimento, aquilo que tem clareza. Isso é nato nosso, é nosso, sim.

Somos sensoriais, porque sempre estamos nos conectando com as forças invisíveis.

As forças invisíveis são as mais poderosas: você não vê o vento, mas ele pode levar sua casa e muito mais; você não vê a eletricidade, mas se você tocar um fio que não estiver coberto, aí...você foi.

O invisível é poderoso. A mulher tem esse poder de perceber as coisas além da matéria, que está além daquela parede, que está além daquele lugar.

O "além" simboliza tudo que está conectado em perfeita sincronia com a consciência criativa do Universo.

Aí, o poder é fantástico! Temos, temos sim, não tenha dúvidas. Eu acredito! Eu sei que as mulheres que estão lendo este livro agora sabem e acreditam.

Por que a mulher sempre pergunta ao homem: você me ama?
Elizabethe: Essa pergunta é porque a mulher é o próprio amor.

Quando você é alguma coisa, você quer saber se está servindo bem.

A mulher quer proteção, quer saber se está tudo certo no relacionamento.

A mulher é como uma flor, uma planta: ela tem de ser regada todo o tempo, ser vitalizada.

A vitamina da mulher é o amor, porque a mulher é o próprio emocional.

A mulher é aquela sensibilidade fantástica... Isso nasce conosco, isso é nosso. É nossa senha, é nosso acesso aqui na Terra: doar-se, amar, e ter a certeza de que também estamos sendo amadas.

Assim a mulher se sente segura, sentimos-nos bem; é a doce pergunta: você me ama? Você me quer? Pergunte sempre olhando nos olhos, acariciando, porque o amor, o carinho, é nato da mulher.

E o que a mulher quer? Alcançar a supremacia?
Elizabethe: Jamais, absolutamente não! Não é esse o objetivo.

Nós queremos igualdade. Nós queremos estar em sintonia, sintonia com nosso "rei", o HOMEM.
Queremos ser sua companheira, amiga, a "rainha".
Queremos ser aqueles seres que podem evoluir, e trazer a evolução para toda a humanidade.
Esse "amor absoluto" se constrói. Como Sol e Lua. Mercúrio e Enxofre. Mas o canalizador entre Mercúrio e Enxofre não será o sal, e sim o Amor, a caridade, a justiça.
Eu lhe convido, homem. Nós o convidamos para vir, unir-se a nós, e trabalhar um "amor perfeito".
Com certeza esse amor irá salvar toda a humanidade, vai transformar-se em luz, vai nos tornar Anjos, e estaremos mais próximos da luz da criação, da verdade de Deus.

Mensagem Final.
Elizabethe: A mensagem que eu quero deixar para todas as mulheres:
Não esqueçam de nossa essência.
Nossa essência é a nossa origem.
É nossa origem! É a natureza, o alimento, o útero.
Então vamos lá, nós mulheres!
Vamos acreditar!
Vamos caminhar em frente!
E até o nosso próximo encontro. Mas um encontro cheio de amor, porque o Amor nasce com nós MULHERES!

**Deus ama
e confia
nas mulheres!**

*Por gerações em gerações,
por séculos em séculos,
por toda a eternidade.*